A Light in the Attic

新经典文化股份有限公司
www.readinglife.com
出　品

阁楼上的光

[美] 谢尔·希尔弗斯坦 文·图　叶硕 译

北京联合出版公司
Beijing United Publishing Co.,Ltd.

阁楼上的光

阁楼上孤灯一盏。
尽管门窗紧闭，漆黑一片，
我却看到微光在闪，
那是什么我全知道。
阁楼上孤灯一盏。
站在外面我看得见，
我知道你就在里面……往外偷看。

多 少

旧纱门能有多大响儿？
　　看你用多大力气撞。
面包能有多少片？
　　看你切得有多薄。
一天能有多么好？
　　看你怎么把它过。
朋友之间多少爱？
　　看你献出多少来。

捞月网

我自己做了张捞月网，
准备今晚捉月亮。
我边跑边把它舞过头，
要抓那个大光球。

如果你明晚没看到
圆圆的月亮在天上。
那一定是我捉到了它
把它装进我的捞月网。

如果月亮还在放光明，
你瞧瞧月亮下面会看清，
我正在天空把秋千荡，
一颗星星进了我的捞月网。

吊　床

奶奶送来了吊床，
老天公公送来了清风扬。
我想舒舒服服躺上吊床——

现在，谁去把树挪过来？

不擦盘子的高招

如果你不得不去擦盘子
（做那讨厌无聊的家务）
如果你不得不去擦盘子
（而不是去商店购物）
如果你不得不去擦盘子
就故意掉一个在地上——
也许他们就再不会
让你去把盘子擦亮

抓小偷

警察叔叔，警察叔叔，
我要请您帮助。
有人偷走了我的膝盖骨。
我很想去把他追捕，但恐怕
我的脚和腿已经连不到一处！

保育员

麦喳喳太太是个保育员，
我觉得她脑筋有点儿乱。
她以为看娃娃
就是坐在娃娃身上四处乱看。

14

自私小孩的祈祷

现在我要躺下睡觉，
真诚地向我的主祷告，
如果我在醒来前死去，
求主让我的玩具都坏掉。
这样别的孩子就再不能碰它们……
阿门。

说了啥？

胡萝卜和小麦说了啥？
"莴"们休息吧，我觉得"蕾"极啦！
白纸和钢笔说了啥？
朋友，我感觉"书"服着呢！
茶壶和粉笔又说了啥？
什么也没说，傻孩子……
茶壶不会说话呀！

奶　昔

杰拉尔丁，求求你，
别再摇晃那奶牛。
谢天谢地，为了奶牛也为了你。
这是我见过，最笨的办法
来做奶昔。

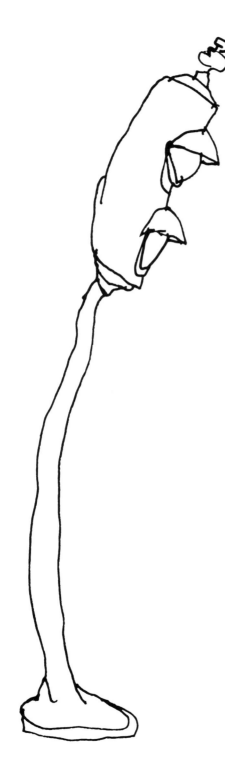

信号灯

灯变绿，你就行。
灯变红，你就停。
当灯慢慢变成蓝，
橘黄和淡紫点点染，
这时候你可怎么办？

一块拼图板

一块拼图板，
躺在马路边。
一块拼图板，
浸在雨里面。
它也许是住在鞋里的姑娘
外套上蓝色的纽扣。
它也许是粒神奇的魔豆。
它也许是盛装的女王
红天鹅绒长袍的褶皱。
它也许是白雪公主在继母给的
苹果上咬的那一小口。
它也许是新娘子的盖头。
它也许是个宝瓶
里面装着邪恶的精灵。
它也许是波波熊的一簇绒毛
在那松软的大肚皮上。
它也许是巫师化作一缕青烟
留下的斗篷的一边。
它也许是滑过小天使脸颊的泪滴
留下的那道浅浅的痕迹。
再没什么比它更多变，
那块又湿又旧的拼图板。

添 彩

画幅涂鸦画，
写首打油诗。
哼哼唧唧唱支曲儿，
把梳子当作口琴吹。
扭扭屁股跳跳舞，
把厨房当作大舞台。
为这个世界添上些
前所未有的荒唐精彩。

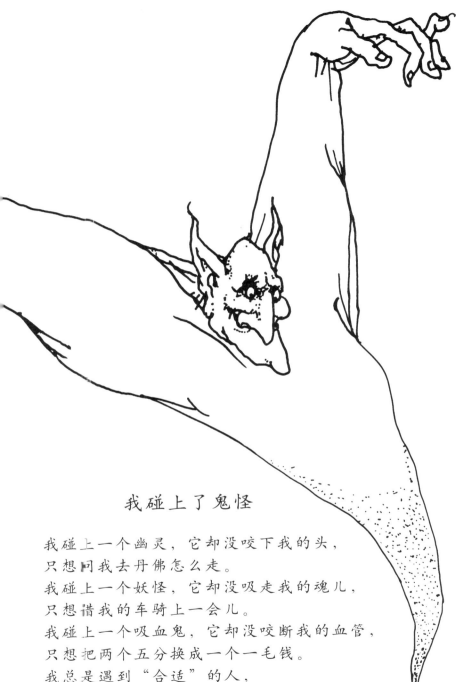

我碰上了鬼怪

我碰上一个幽灵，它却没咬下我的头，
只想问我去丹佛怎么走。
我碰上一个妖怪，它却没吸走我的魂儿，
只想借我的车骑上一会儿。
我碰上一个吸血鬼，它却没咬断我的血管，
只想把两个五分换成一个一毛钱。
我总是遇到"合适"的人，
在那"不合适"的时间！

摇滚乐队

如果我们是摇滚乐队，
我们就能在各地演出巡回。
我们又唱又表演，身上穿得亮闪闪。
如果我们是摇滚乐队。

如果我们是摇滚乐队，
我们会站在舞台上面，
人们倾听我们热爱我们为我们喝彩，
"万岁，摇滚乐队！"

如果我们是摇滚乐队，
我们要被千万的歌迷来追，
我们咯咯笑着给他们签名。
如果我们是摇滚乐队。

如果我们是摇滚乐队，
人们都来吻我们的手，
我们会身价百万，长长的头发披肩。
如果我们是摇滚乐队。

可我们不是摇滚乐队，
我们只是七个娃娃坐在沙堆，
拿着自制的吉他、小桶、小壶，
还有薯条盒子做的大鼓。

我们只是七个娃娃坐在沙堆，
又说又唱把手臂乱挥。
梦想着：哦，那该有多么好！
如果我们是摇滚乐队。

忘了点儿什么

我记得我穿上了袜子，
我记得我穿上了鞋子，
我还记得我打上了
蓝紫相间的领带。
我记得我穿上了西装，
好在舞会上仪表堂堂。
但我还是觉得
我可能忘了点儿什么——
是什么呢？是什么呢？

记忆大王小莫

小莫能把字典倒背如流，
但好像找不到工作养家糊口。
而且似乎没有人
愿意和背字典的人结婚。

总得有人去

总得有人去擦擦星星，
它们看起来灰蒙蒙。
总得有人去擦擦星星，
因为那些八哥、海鸥和老鹰
都抱怨星星又旧又生锈，
想要个新的我们没有。
所以还是带上水桶和抹布，
总得有人去擦擦星星。

倒　影

每当我看到水中
那个家伙头朝下，
就忍不住冲他笑哈哈，
但我本不该笑话他。
也许在另一个世界
另一个时间
另一个小镇，
稳稳站着的是**他**
而我才是大头朝下。

滑稽跳水

从椰子林来的梅丽，
她的跳水动作最滑稽。
她跳板反弹冲向空中，
头发一甩，好不威风。
她做了三十四个屈体团身后转体，
差点儿冲进了太阳里。
然后翻了九又四分之一个筋斗，
发现没有水在池子里头！

夏天来啦

夏天来啦，
夏天来啦，
知更鸟鸣，玫瑰花放。
夏天来啦，
夏天来啦，
阵阵小雨，件件夏装。
夏天来啦，
夏天来啦，
嗖——颤抖抖——夏天走啦。

神龙昆第刚

我是神龙昆第刚。
我喷出火焰像太阳。
若有骑士来决斗，
我转眼就把他烤熟。
变成脆皮面包夹肉桂，
那可是我的好美味。

当我看见美女经过，
我只叹上热气一口，
她就被烤透，
像我最爱的烤土豆。
吃完了我再把她思念，
浪漫的泪水浸满眼。

我是神龙昆第刚，
可我的午饭不怎么样。
我希望我的姑娘鲜嫩可口，
但总是被烤得熟过头。

怪谁？

我为你写了一本美妙的书，
书里是彩虹阳光，
还有那成真的梦想。
山羊来了，把它啃个精光。
（你知道它准会这样）
我又给你写了一本
用我最快的速度。
可它永远也比不上
被吃掉的那一本，
这是理所应当。
所以我刚写的这本新书
如果你不太欣赏，
你要怪就只能去怪
那只可恶的山羊。

狗 窝

这是谁的屋子，真不像话！
内裤居然在台灯上挂。
堆满了东西还搭着雨衣，
发了霉的是那安乐椅。
作业本夹在了窗缝里，
丢在地上的是他的毛衣。
裤子挂在门把手上，
电视机下塞着冰鞋和围巾。
壁橱里满是书本，
马甲被留在大厅里。
他的臭袜子粘在墙上，
一只叫艾德的蜥蜴睡在他的被窝里。
这是谁的屋子，真让人生气！
唐纳、罗伯、威利还是——
什么？你说是我的？哦，老天。
怪不得它看上去是那么熟悉！

35

从来没有

我从来没有用绳子捆过圣牛。
我从来没有挥剑跟人作过决斗。
我从来没有骑着凹背的垂耳骡
穿过茫茫的大沙漠。
我从来没有爬上神像的鼻子
去偷那块该死的宝石。

我从来没有和我的船一起
沉没在冒泡的海水里。
我从来没有把那狮子救活
然后再等着它来救我。
我也没有在丛林的枯藤上荡来荡去
嘴里大喊"哦——嗬"。

我从来没有打过纸牌
在那喧闹的伐木场上。
或是在裁判数到九时一跃而起
一举打败世界拳王。
在那六分钱的邮票上
也从来没有出现过我的头像。

我从来没有经历过九十九码狂奔,
在橄榄球场上触地得分。
我从来没有拿临死兄弟的手枪
将六个强盗打伤。
也没有给珍妮小姐深情一吻,
然后策马向落日飞奔。
有时我真觉得非常难过,
想想自己有这么多事情没做!

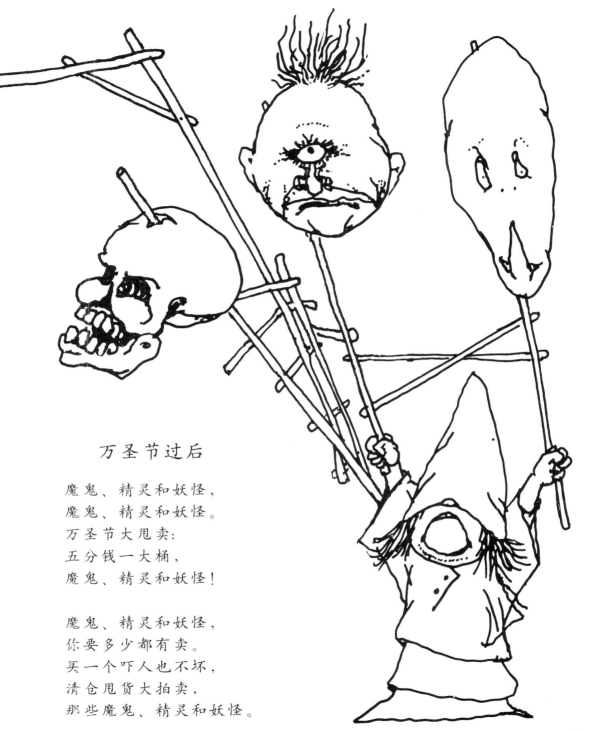

万圣节过后

魔鬼、精灵和妖怪，
魔鬼、精灵和妖怪。
万圣节大甩卖：
五分钱一大桶，
魔鬼、精灵和妖怪！

魔鬼、精灵和妖怪，
你要多少都有卖。
买一个吓人也不坏，
清仓甩货大拍卖，
那些魔鬼、精灵和妖怪。

波浪发型

我以为我的头发像波浪，
直到我把头发剃光。
才发现我的头发其实很直，
我的脑袋才像波浪。

长长车

我发誓这辆车世界最长，
它的车头在比尔大街，车尾在华盛顿广场。
你只要跳上车
去你想去的地方，
然后就可以下车，
因为你已经到了。

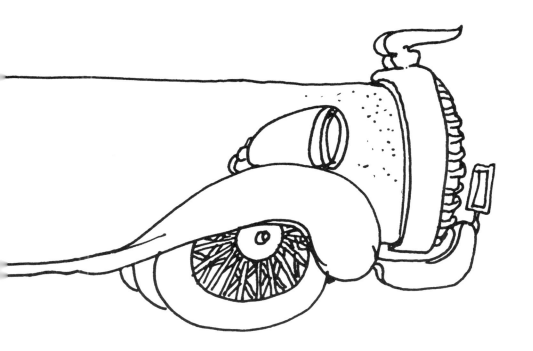

颠三倒四比尔

颠三倒四比尔，颠三倒四比尔，
他住在高高的颠三倒四山巅。
那山原本是沙土地上的大坑。
（可倒过来看不就成了座山？）

颠三倒四比尔有个颠三倒四小屋，
屋子后面盖了个房檐。
你从窗户走进去，透过屋门向外看，
那地窖正在屋子顶端。

颠三倒四比尔，骑马好似一阵风，
不知他去往哪里，却知他去过何处。
他的马刺发出嘶鸣，他的马儿却锵锵作响，
他的枪声是"哪"，而不是"砰"。

颠三倒四比尔养了只颠三倒四小狗，
太阳升起时他们开始吃晚餐。
颠三倒四丽尔是他的妻子，
比尔说："我简直要把她恨死。"

颠三倒四比尔把帽子戴上脚尖，
内衣穿在大衣外面。
每到发薪日子，他向老板付钱，
倒骑着马笑着走远。

麦先生和派先生

派先生
有二十一顶帽子，
每顶帽子互不相同。
麦先生
有二十一个脑袋
帽子却只有一顶。

先生麦
遇见了先生派，
他们谈论着
帽子的买卖。
最后派先生
买走了麦先生的帽子！
你还听说过什么
比这事更怪？

蛇的问题

并不是我不喜欢蛇，
但那件事真的让我手足无措。
当一条七米长的巨蟒对你说……

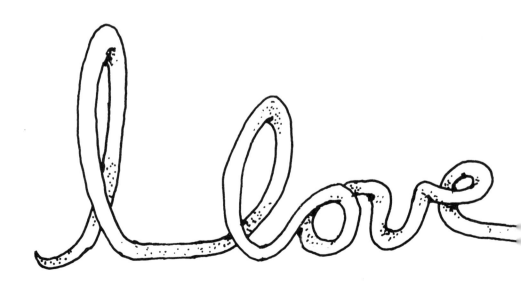

北极熊在里面

一只北极熊
住在我们的冰箱里——
它喜欢这里，因为这里凉爽。
它坐在肉堆里，
脸埋在鲜鱼里。
毛茸茸的爪子
沾着盘子的油汤。
它咬着面条，
嚼着米饭，
吸溜着汽水，
舔着冰块。
如果你打开冰箱门，
它会大吼一声。
一想到它在里面
我就吓得够呛——
一只北极熊
住在我们的冰箱里。

迷 信

如果你迷信的话，就不会把地上的裂缝踩在脚下。
遇到梯子也不会从它下面走过。
如果你撒了一些盐粒，你会再拿一些向背后抛去。
你会随身带一只兔脚，以备什么时候需要。
你会把每一根针捡起，如果它们不慎落地。
你绝不会把帽子扔在床边，
或是在屋里撑开你的伞。
你每次说了不该说的话，
都会咬自己的舌头一下。
你每次走过坟墓，
都会交叉手指，把呼吸屏住。
十三这个数目不会给你带来任何好处。
如果你迷信的话，
一只黑猫也会看起来恶毒。
我可一点儿也不迷信（顺手敲敲树木）。

海盗克劳

爱胡扯的海盗，
（他的名字，我确信，叫作克劳）
他绷着脸爱发脾气，
还开着粗俗的玩笑。

他经常把他的朋友，
关进又黑又冷的地窖。
不是把他们捆在桅杆尖，
就是让他们滚下甲板。

自私的他会让你挖出
来路不正的黄金好几大桶。
而你哪怕只是打个小嗝儿，
他也会用你来填那个大洞。

他会让你在孤舟中漂流，
（你流眼泪他也不皱眉头）
或把你往孤岛的岸上一扔，
几年不给你回家的船舟。

他是流氓、是无赖、是罪犯，
恶行到达了人类极点。
如果你请他共进晚餐，
哦，就让他坐在我的旁边。

玩 "扣"

与其看牙不如打网球。
与其看病不如踢足球。
与其上班干活不如玩 "扣"。
"扣" ？ "扣" ？什么是 "扣" ？
我也不晓得，
反正它总比上班强得多。

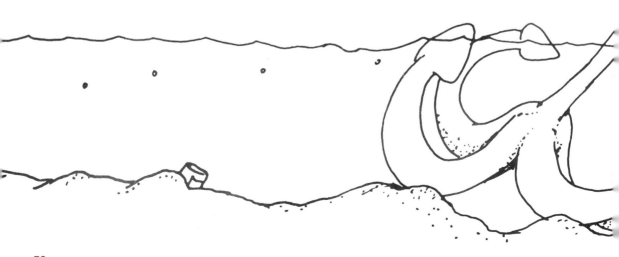

锚 的 困 惑

我 们 的 船 有 个 太 大 的 锚。
于 是 我 们 坐 在 这 里 想 办 法。
如 果 不 带 它，我 们 会 迷 路。
如 果 带 着 它，我 们 会 沉 船。
如 果 我 们 坐 在 这 里，继 续 讨 论，
又 会 影 响 航 行 的 计 划。
对 于 水 手 真 是 件 麻 烦 事，
如 果 船 上 的 锚 太 大。

挠不着的痒痒

有个地方你挠不着，
它却出奇的痒痒，
就在你两肩胛的正中央。
就像鸡蛋孵不出小鸡，
你只能看着它干着急。
想尽办法要把它够到，
扭着脖子还弯着腰。
你的胳膊咯吱咯吱响，
还伸出手指来帮忙。
这下一定能够到，
不，你又高兴得太早。
屏住呼吸来祈祷，
离它还有一寸之遥。
这比捉不到的阳光还可恶，
它痒痒你却挠不着。

点石成泥

米达斯王碰到的东西
统统变成黄金。他是多么的幸运！
而我无论碰到什么东西，
什么就变成一摊烂泥。
今天我摸了摸厨房的墙壁（烂糊糊），
昨天我撞到了保罗弟弟（惨兮兮），
上星期我想修修脚踏车（松垮垮），
还和妈妈接吻致意（湿答答）。
我把胶鞋往脚上一套（滑溜溜），
又翻了翻当天的晚报（皱巴巴），
然后往椅子上一靠（软塌塌）。
我试着把我的鬈发梳理（乱蓬蓬），
然后纵身跳进海里（水淋淋）——
过来和我握握手，你愿不愿意（稀里哗啦）？

重要 (important)？

小 a 对大 G 说：

"如果没有我，

大海 (sea) 会变成 (se)，

跳蚤 (flea) 会变成 (fle)。

地球 (earth) 和天堂 (heaven)，

如果缺了我根本没有意义。"

大 G 回答小 a：

"大海 (se) 会继续喷涌 (spry)、轰响 (crsh)，

跳蚤 (fle) 也会继续飞翔，

就像以前一样 (sme)。

就算缺了你，

也会继续存在

地球 (erth) 和 (nd) 天堂 (heven)。"

拇指脸

我的拇指上有一张脸——
它并不是我画的——
它有竖起的耳朵、眨动的小眼，
还有短短的绿发。
我把它藏在手心里，
这样朋友们就不会盯着它。
它的小嘴总是歪歪的，
还有两排黄黄的小牙。
我拿叉子时它咯咯笑，
我伤心时它也笑呵呵。
它不停地笑啊笑，
无论我做些什么。

作业机

作业机，哦，作业机，
世界上最完美的机器。
只要把作业放进去，再投进一角硬币，
按下按钮，等上十秒，
你的作业就会出来，
又干净，又整齐。
来看看——"9＋4＝？"答案是"3"。
3？
哦，我的天！
看来它没有我想的那么神奇。

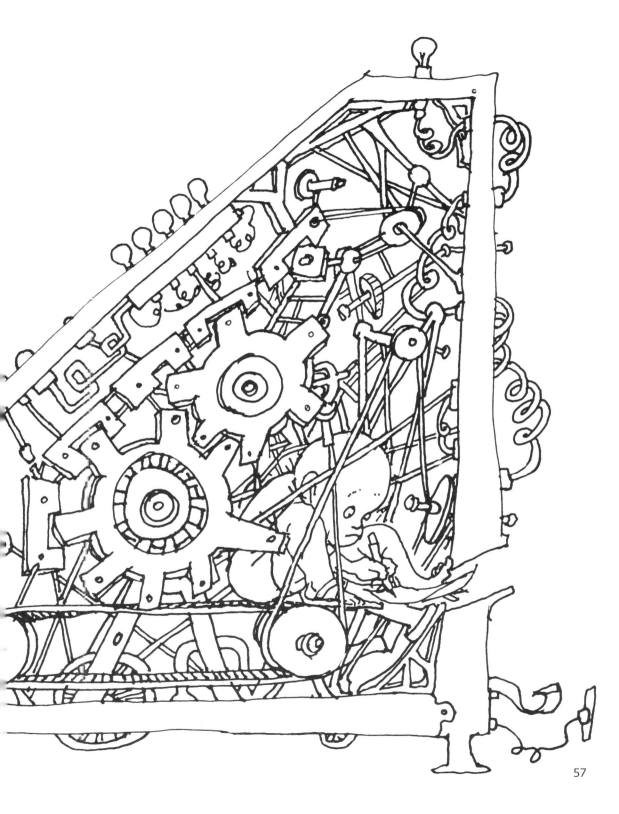

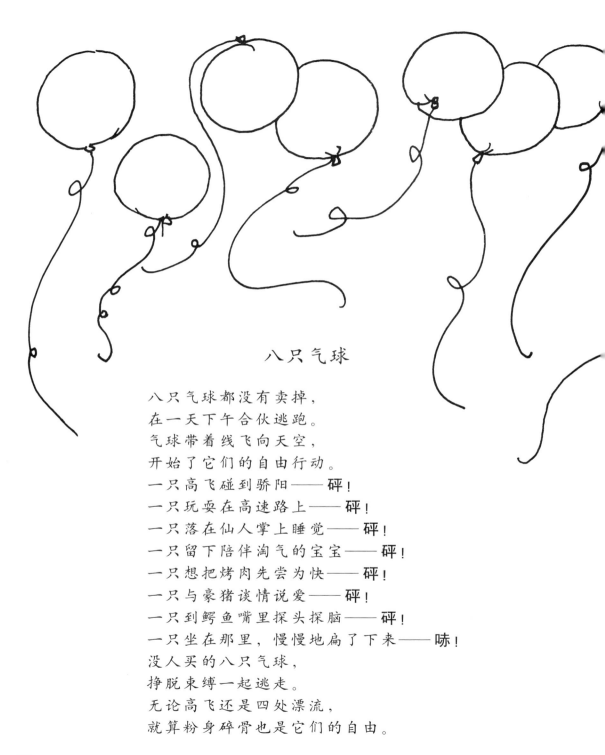

八只气球

八只气球都没有卖掉，
在一天下午合伙逃跑。
气球带着线飞向天空，
开始了它们的自由行动。
一只高飞碰到骄阳——砰！
一只玩耍在高速路上——砰！
一只落在仙人掌上睡觉——砰！
一只留下陪伴淘气的宝宝——砰！
一只想把烤肉先尝为快——砰！
一只与豪猪谈情说爱——砰！
一只到鳄鱼嘴里探头探脑——砰！
一只坐在那里，慢慢地扁了下来——哧！
没人买的八只气球，
挣脱束缚一起逃走。
无论高飞还是四处漂流，
就算粉身碎骨也是它们的自由。

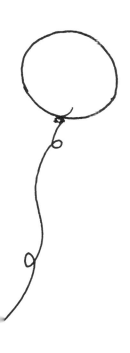

名　词

我们见面时我说"你好"，
这叫"致意"。
如果你问我感觉如何，
这叫"关心"。
如果我们停下来聊一会儿，
这叫"寒暄"。
如果我们相互理解，
这叫"沟通"。
如果我们吵嘴、尖叫、打架，
这叫"争执"。
如果我们事后道了歉，
这叫"和解"。
如果我们彼此帮助，
这叫"合作"。
这些加起来，就组成了
"文明"。

（如果我说这首诗真棒，
叫不叫一种"夸张"？）

音乐生涯

她想弹钢琴，
手却够不着琴键。
当她的手好容易能够到琴键，
她的脚却够不着地面。
当她的手终于能够到琴键，
脚也够到了地面，
那架老钢琴她却不再想弹。

食蚁兽

"真正的食蚁兽！"
宠物贩子向我爸爸兜售。
买回来一看，却是个"食姨兽"，
这下我姨夫可发了愁！

野 马

你敢不敢骑那匹野马？
你能不能坐在那副鞍子上
直到你牙齿打架？
你能不能颠来晃去
而不从它背上落下？

你能不能骑那匹野马？
当它喷着响鼻，四蹄踢踏，
你的五脏六腑七上八下，
你觉得好像
脊梁骨就要散架？

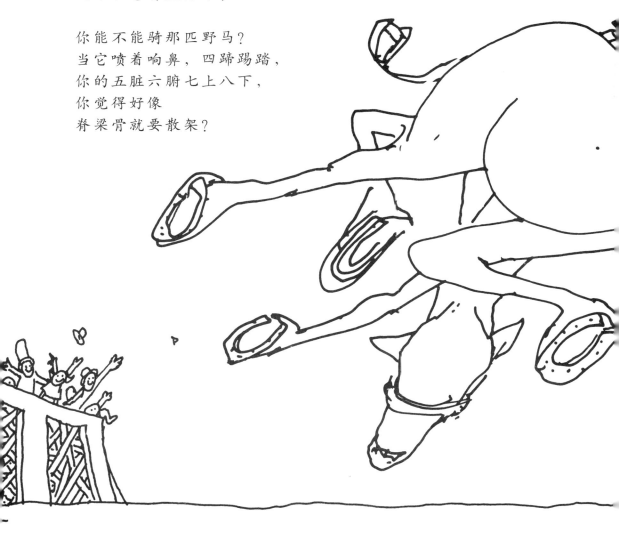

我就能骑那匹野马，
我坐在它背上吹着口哨，
它的力量已经被我拖垮。
而它也早已明白，
我才是它的老大。

是的，我能驯服这匹野马，
瞧我大显身手吧！
野蛮的马儿在这里，

这个是我。 →

竞技表演

啪！

她以为就要下雨了，
她把雨伞撑开了。
我们都听到了
像捕兽夹一样，"啪"的一声，
从此就没有人见过她了。

欠

我怎么办？
我怎么办？
图书馆的这本书，
我已经四十二年没有还。
我承认是我借的，
可我交不起罚款。
我是把它还回去，
还是把它藏起来？
我怎么办？
我怎么办？

野草莓

野草莓是否真的很狂野？
它们真的会把大人打，把孩子掐？
你应该放它们出去跑，还是应该把它们养在家？
它们在温室能否待得长？
它们经过教导，能否不冲客人咆哮？
如果没有垃圾桶，它们会不会弄得一团糟？
它们会不会变成牛仔莓把牛来放？
或是骡莓把犁来拉，
或是猎人莓把山鸡来抓，
或是狗莓来看家？
虽然它会蜷着身子在你面前趴，
但你觉得你能否完全信任它？
我们的宠物是否应该更好管教，
就像国产话梅或是进口樱桃？
不过我已经事先把你警告，
如果你的野草莓不服管教，
你可千万别把我来找。

不用绳子木板钉子
来把秋千荡！

先让你的胡子
长到一百英寸长，
把它绕在胡桃树枝上。
（还得看看树枝够不够粗壮）
现在把自己从地上提起，
等春天一到——
就来把秋千荡！

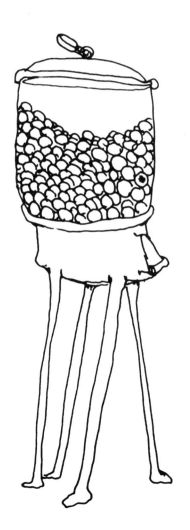

口香糖球

口香糖机里有个眼球，
左右两边是红绿糖球，
它盯着我好像在说：
"今天你的口香糖已经吃得太多。"

热 狗

我养了一只热狗，
只有它，
我的父母才肯让我拥有。
它的气味的确令人不太好受，
不过，
它绝对不会在沙发上
留下尿臭。
我们的兽医最最奇特，
他竟然是个屠夫老头。
你会想我们家是多么奇怪，
养了一只宠物热狗。

飞盘历险记

有一只飞盘，不愿再让人们
扔过来，扔过去，
于是就想有什么事情
它还力所能及。
当人们再次将它抛向空中，
它却飞上了天空，
飞呀飞，找点别的事情
换换口味。
它想做一块镜片，
但它却不透明。
它想做个UFO，
但人们说什么也不信。
它想做个盘子，
却因为有裂纹只好放弃。
它想做张比萨饼，
可是要被煎来烤去。
它想做个车轮盖，
发现车子开得太快。
它想做张唱片，
唱机的旋转又让它晕眩。
它想做一枚硬币，
但又太大了花不出去。
于是它旋转着回到家，
重新做一只飞盘——真是快乐无比。

来滑冰！

他们说:"来滑冰吧！"
他们说:"多好玩啊！"
他们说:"来滑冰吧！"
可我已经滑过两次啦！
他们说:"来滑冰喽！"
听上去真不错呀……
但他们说的是滑水冰，
而我穿的是滚轴。

"我是谁"和"就是啥"

当当当！
　　谁呀？
我！
　　我是谁？
对！
　　什么对？
我是谁！
　　这就是我想知道的！
什么是我想知道的？
　　我是谁？
是的，就是！
　　就是啥？
是的，我用链子拴来个"就是啥"！
　　链子拴来的就是啥？
是的！
　　是啥？
不，"就是啥"！
　　这正是我想知道的！
我告诉过你嘛——就是啥！
　　就是啥？
是的！
　　是啥？
是的，我带来了！
　　你带来了啥？
就是啥——这就是我带来的。
　　我是谁？
是的！
　　滚开！

当当当……

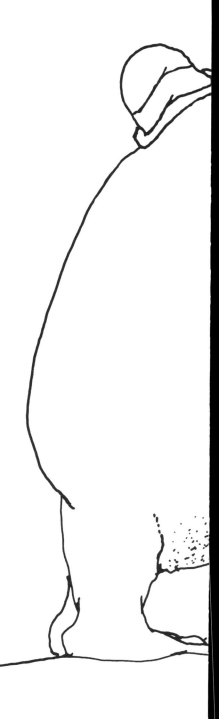

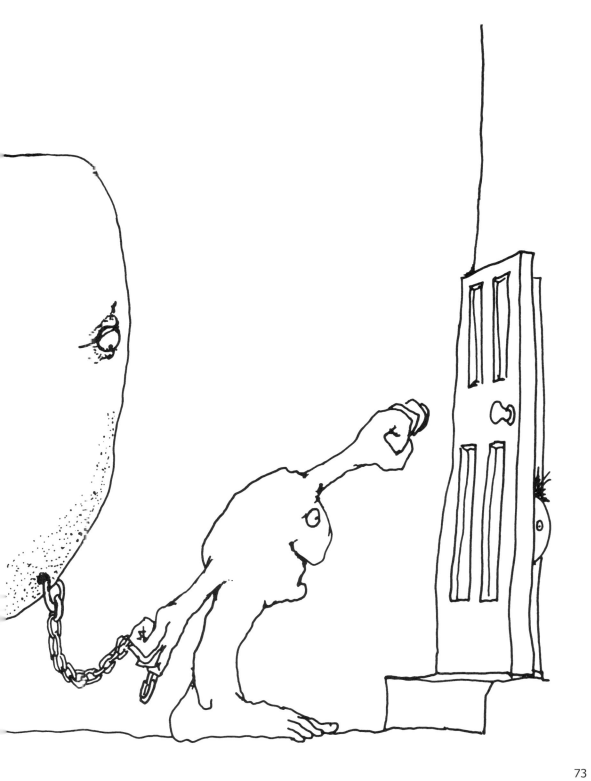

小丑克鲁

让我给你讲讲小丑克鲁，
他随马戏团在镇上巡回演出。
他的鞋子太大帽子太小，
可他就是、就是不会把人逗笑。
他有一只声音怪怪的长号，
一只绿色的小狗和一千只气球。
他懒散邋遢，瘦又高。
可他就是、就是不会把人逗笑。
每当他做个鬼脸，
人们都觉得有些厌烦。
每当他讲个笑话，
人们叹着气就好像心脏病复发。
每当他把鞋子一脱，
人们的表情是那么难过。
每当他拿大顶在台上，
人们就嚷嚷"上床，睡觉"！
每当他来个单腿跳，
人人都会睡大觉。
每当他把领带吃掉，
人们就会大声号啕。
克鲁一分钱也挣不到，
只因他不能把人们逗笑。

"我会告诉镇上的人，"一天他说，
"不搞笑的小丑是多么难过。"
他告诉他们为什么他神情郁闷，
他告诉他们为什么他心里难受。
他讲述了寒冷、暴雨和疼痛，
他说他的心被黑暗笼罩。
当他讲完这伤心的故事，
是不是人人都在痛哭？哦，不，不，不。
他们"嘻嘻哈哈"笑得那么舒服，
直到他们不得不扶着大树。
他们笑着尖叫，他们笑着咆哮。
他们笑上一整天，整整一个星期都在笑！
他们笑得令自己都吃惊，
他们笑到撑坏了外套。
笑声传到大城小镇，
笑声传到千里以外，
笑声跨过大山，越过大海，
从圣特罗佩传到孟桑尼。
不久整个世界被欢笑充满，
经久不息，直到永远。
克鲁却仍然在马戏团帐篷下傻站，
头是那么低，肩是那么弯。
他说："**我本不想这样——
我一不小心才把人们逗笑。**"
外面的世界都在笑，
小丑克鲁却坐在地上大声号啕。

试了试

我试了试农夫的帽子，
但却不太合适。
只是有些小
有些松软
不太习惯
还得再换。

我试了试跳舞的鞋子，
又有点太松。
穿着它走路
不太舒服。
感觉不好，
把它踢掉。

我试了试夏天的红日，
竟然这么合适。
又温暖又体贴——我早知它会如此。
光着脚穿上小草，
感觉是那么好。
大自然的衣裳，
终于把我打扮停当。

形 状

一个正方
在它长方的小屋外乘凉，
却突然掉下一个三角——"砰"的一声，
把它的后背扎伤。
正方疼得大喊大叫：
"我必须去把医生看。"
于是一个过路的圆，
把它送到了医院。

累　了

我工作如此努力，可你就是不信。
我累了！
这么多事情要做，可时间却那么紧。
我累了！
我一直静静躺在这里，将小草复归原位，
尝尝苹果是不是很甜，
让绿叶贴着我的脸，
再数数蜈蚣有几只脚尖。
我默默地记住那块云彩的形状，
提醒知更鸟不要吵吵嚷嚷。
"嘘"的一声为番茄赶走蝴蝶，
还得注意洪水暴雨是否会从天而降。
我在给蚂蚁们当监工，
还得想着修剪哈密瓜藤。
我要告诉太阳它应该何时落山，
还招呼鱼儿们游进我的网中。
我喘了一万二千零四十一口粗气，
我累了！

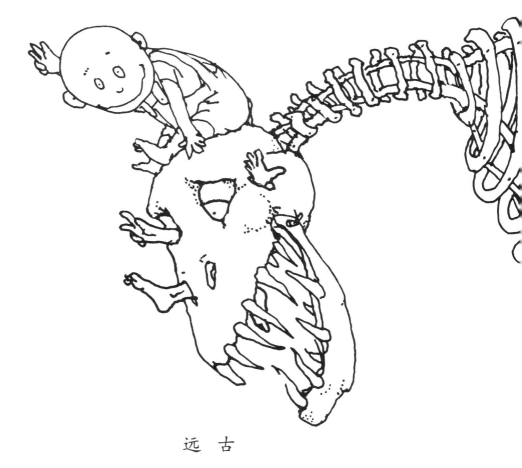

远 古

你们所喜爱的这些蜥蜴、蛤蟆和乌龟，
在远古曾是恐龙和蛇颈龙。
它们的敌手是披甲的甲龙、狂暴的雷龙、
雕齿兽、巨蜥和饥饿的剑龙。
还有鲨鱼一样的鱼龙、会飞的翼龙，
霸王龙、巨龙，阴险的粗齿龙，尖叫的始祖鸟、三角龙。
还有那些我压根儿不会念，也不会写的龙。
但不管怎么说，它们慢慢变成了今天的蜥蜴、乌龟和蛤蟆。
而那些勇敢、野蛮、浑身长毛的远古人类——
天哪，他们变成了我们！

我的吉他

如果是这样该有多好，
有把吉他，它能自弹自唱。
如果是这样该有多棒，
有把吉他……它不用我帮忙。

写字的蜜蜂

我被蜜蜂叮了一下，
但我不告诉你叮在了哪儿。
我只不过是躺在那儿，
就被蜜蜂叮了一下。
它"写"下了一句话，
我不会让你看见是啥。
它"写"道：

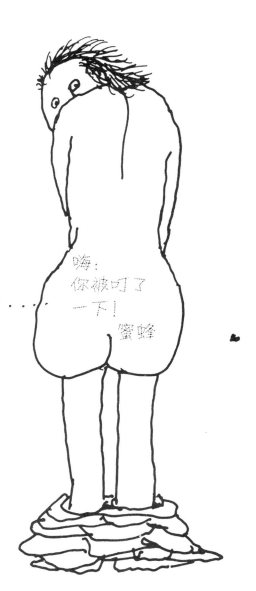

经常撒点胡椒面

经常往头上撒点胡椒面，
经常往头上撒点胡椒面。
如果你不幸被野人活捉，
卖给衣衫褴褛的老巫婆，
她把你抓起来闻闻，
想把你炖成汤喝。
她会"啊啾"一声打个喷嚏，
"天哪，你太辣了！"她说，
"恐怕和我的口味不合。"
她会大叫一声把你扔出窗外，
你就此从那里逃脱，
很快安全地回到家里，
坐在椅子上多么快乐！
只要你经常、经常、经常、经常、经常、
经常、经常、经常、经常往头上撒点胡椒面。

啄

有件事最令我伤心，
那只啄木鸟正啄着塑料树生气。
它看了看我，对我说："朋友，
生活早已不像过去那样甜蜜。"

热！

热！
我喝了柠檬水一大缸，
可就是一点儿也不觉得凉！
我想我该把鞋子脱光，
坐在树荫下乘凉。

热！
衣服贴在我的背后，
汗水顺着脸往下流。
我想我该把衣服脱光，
坐在我的皮里乘凉。

热！
我打开电扇吹风，
到池子里面游泳，
还吃了冰激凌圆筒。
我想我该把我的皮脱下，
坐在骨架子里面乘凉。

还是热！

乌　龟

我们的乌龟今天没吃饭，
只是怪怪地四脚朝天，
也不知道动弹动弹。
我胳肢它，
用针扎它，
还在它眼前吊了根线。
可它只是躺在那里，
全身冰凉，
两眼呆呆地向前看。
吉姆说："它死了。"
我说："哦，不，
它是只木头乌龟！"

拥挤的浴缸

浴缸里孩子太多太多，
有那么多胳膊要搓。
我刚洗了个屁股，
可它绝对不属于我。
浴缸里孩子太多太多。

频　道

1 频道不好玩。
2 频道全是新闻。
3 频道看不清楚。
4 频道太没劲。
5 频道真无聊。
6 频道早已坏掉。
7 频道和 8 频道——
全是老掉牙的电影，也不好。
9 频道简直是浪费时间。
10 频道结束了，我的宝宝。
难道你就不想跟我聊聊？

河马的梦想

从前有只大河马，梦想着自己能飞到天涯——
飞嘿哟，使劲哟，我飞呀嘿哟飞啦啦。
于是它给自己织了大翅膀，指望它能在空中拍打——
飞嘿哟，上天啦，为什么飞不走啦啦。

它爬上了高高的山崖，山顶上覆盖着雪花——
雪花哟，慢悠悠，它慢悠悠地爬呀爬。
它头上是朵朵云霞，茫茫大海就在脚下——
哪里哟，这里哟，它有点呀害怕啦啦。

（高兴的结局）
它使劲让翅膀拍拍打，它张嘴大喊"啊啊啊——"
现在呢，大喊吧，它多么勇敢自豪啊。
它像只雄鹰一样出发，离开山顶冲向云霞——
高飞啦，飞远啦，再见了，嘿啦啦。

（不幸的结局）
它使劲一跳像青蛙，却像石块一样掉下——
石块呀，它掉啦，扑通扑通哎呀呀。
它摔下山来向下砸，全身骨头摔散架——
骨头呀，好痛啊，痛死了哟哎呀呀。

（胆小的结局）
它抬头看看天蓝蓝，又低头看看海好大——
大海呀，真美啊，哪里都有高兴的办法啦。
它扭身转头回了家，吃着曲奇喝着茶——
这样吧，就这样吧，这就是我要讲的啦。

如 果

昨晚我正躺在床上琢磨，
耳朵里却爬进了几个"如果"。
它们整晚跳跃欢腾，
唱的还是那老掉牙的"如果之歌"。
如果我在学校一言不发？
如果它们把游泳池关掉？
如果我挨了一顿痛打？
如果我的杯子里被放了毒药？
如果我开始放声号啕？
如果我现在生病死掉？
如果我考试不及格？
如果我胸前长了绿毛？
如果从此没人疼我？
如果我被闪电劈到？
如果我从此不再长高？
如果我的脑袋越变越小？
如果鱼儿不再吃食？
如果我的风筝被风刮跑？
如果发动了战争？
如果父母分道扬镳？
如果公共汽车晚点迟到？
如果我的牙齿长不齐整？
如果我不小心撕破长裤？
如果我怎么也学不会跳舞？
现在一切都很正常，
可到了半夜那"如果"钟又开始乱敲！

愁眉苦脸的安

愁眉苦脸的安，
下巴在手里攥，
你什么时候才能露出笑脸？
从前你抱怨
没有皮大衣穿，
可现在又嫌虱子捣乱。

登山队员

一群探险队员
把我们带到这遥远的山巅。
这里从来就没有过人烟。
难道是我的梦幻？
我是觉得这山在颤，
还是听到它的打鼾？

摇啊摇啊小宝宝

摇啊摇啊小宝宝，挂在高高树梢。
但在树顶很危险，
难道你不知道？
是谁把你和你的摇篮
挂得那么高？
小宝宝，我觉得下面有个人
在和你开玩笑。

孩子和老人

孩子说:"有时我会把勺子掉到地上。"
老人说:"我也一样。"
孩子悄悄地说:"我尿裤子。"
老人笑了:"我也是。"
孩子又说:"我总是哭鼻子。"
老人点点头:"我也如此。"
"最糟糕的是,"孩子说,
"大人们对我从不注意。"
这时他感觉到那手又皱又暖。
老人说:"我明白你的意思。"

惊喜！

爷爷去了爱神海滩，
给我们每人买了一只乌龟。
他又去了加德满都，
寄回一只活的鹦鹉。
那只臭山羊祖籍西班牙，
蜥蜴则来自里约热内卢。
爷爷总是想着我，你看——
他现在又到了印度。

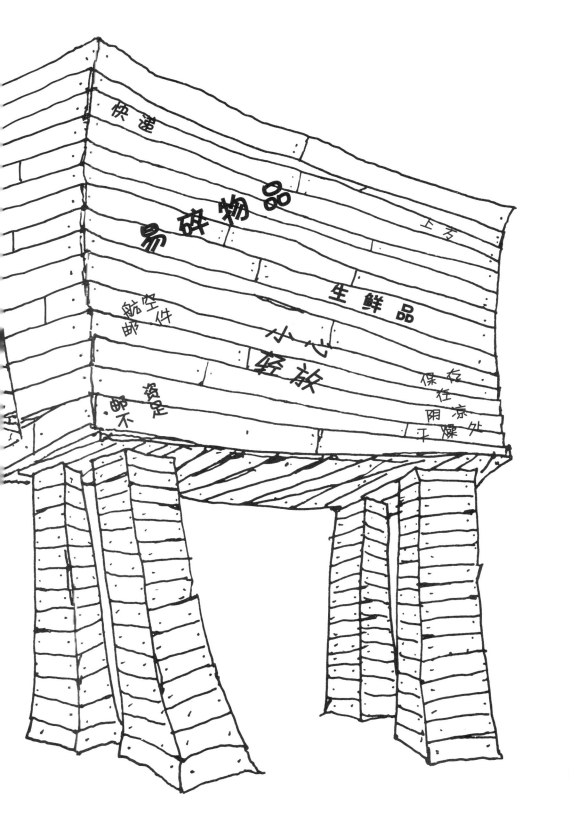

怕痒痒的唐

你听没听说过怕痒痒的唐？
胳肢他的是他亲娘。
他咯咯笑着倒在地上，
哈哈笑着滚出房门。
好容易到了学校，
他又被朋友们抓挠。
他咯咯笑着从椅子上摔倒，
哈哈笑着滚出学校。
下了楼梯好容易停住，
胳肢他的却是警察叔叔。
他哈哈哈笑个不停，
可人们还在把他挠个不住。
他尖叫着滚向四处，
哈哈笑着从城里滚出。
经过乡间的小路，
胳肢他的是只蟾蜍。
他翻过高山穿过平原，
胳肢他的是落下的雨点。
胳肢他的白云正好过路，
胳肢他的小草是如此松软。
咯咯笑着，
他滚上了火车的铁轨。
轰隆隆，轰隆隆，呜——
可怜的唐再也不会怕痒。

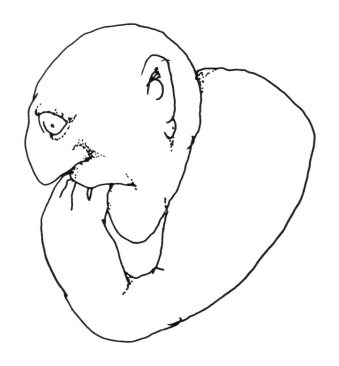

咬指甲的人

有些人修指甲，
有些人剪指甲，
还有些人锉指甲，
而我把它们都咬下。
是的，这习惯很差，
但你不该把我痛骂。
因为我从不会用指甲
到处乱挠乱抓。

苍蝇在哪里？

小镇里的
房子里的
厨房里的
冰箱里的
瓶子里的
牛奶里　有只苍蝇。

地面上的
地板上的
地毯上的
床上的
被子上的
狗狗上　有只跳蚤。

大树下的
宝宝下的
尿布下的
毯子下的
青草下的
地面下　有只虫子。

蜜蜂在烦
小狗在烦
大狗在烦
小猫在烦
宝宝在烦
妈妈在烦
我。

风真怪

今天的风真怪。
吹着口哨打着转转，速度还挺快，
像个喋喋不休的老太太。
今天的风真怪。

今天的风真怪。
阴天里却清爽凉快。
吹走了我的脑袋，我的帽子却还在。
今天的风真怪。

一，二

一，二，系上鞋带。

　　"系好你自己的鞋带！"

谁说的？

　　"我说的。你对你鞋上那些愚蠢的鞋带做了些什么？"

三，四，把门关死。

　　"你去关门——因为是你打开的。"

嗯……五，六，把手杖捡起来！

　　"我为什么要把你的手杖捡起？

　　你觉得我是你的奴隶？

　　系上鞋带，关上门，把手杖捡起，

　　下一次你会让我把它放平。"

可这只是一首诗啊……九，十，大胖子……哦，没事。

长牙，长牙

海象被五花大绑，
它的脸就像
一张铁丝网。
它只要坐着等下去，
它的长牙就会变直——
这对它是多么高兴的事！
（它们搅了它的食欲，就在同时！）

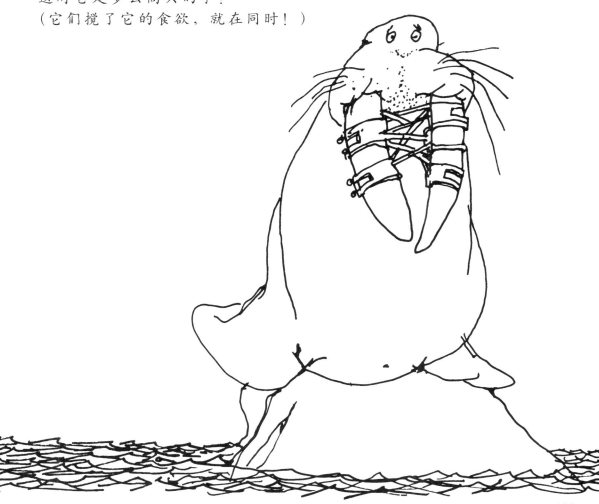

黑胡船长做了什么？

海在咆哮，海鸥在鸣叫，
水手长依然在如雷暴跳。
全体水手齐声高呼：
"真的，真的，
老黑胡船长已把胡子剃掉。"
我们刚埋了些金银财宝（几具尸体也必不可少），
正从山洞往回撤逃。
船长叫了些热水到底舱，
步履沉重地走下去，
上来时胡子却剃得精光。
那张脸过去曾威风八面，
现在却变得惨兮兮，连剩下的胡子茬儿都慌里慌张。
他那忠心耿耿的鹦鹉
也已受不了，
只因他把胡子剃掉。
当他说："集合，把船沉掉！"
这命令却像炉渣一样无效，
反而成了奴隶们的笑料。
他喧闹污秽的歌唱，
这时也不再吃香，
只因他把胡子剃光。
再也没人害怕他的鞭子、他的目光，
哪怕他威胁把你扔进坟场。
在海盗圈子里，
一切都变了样，
只因老黑胡船长他把胡子剃光。

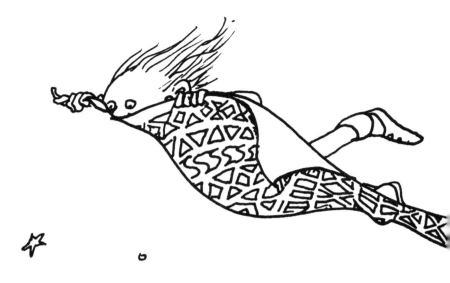

魔 毯

你有一块魔毯，
能带你飞上蓝天。
去西班牙、非洲还是缅因？
全由你说了算。
你是让它带你
到从未去过的地盘，
还是搭配着买些窗帘，
用它来铺
你家的
地板？

外还是内？

鲍勃买外套花了一百块，
可没有钱再把内衣来买。
他说："如果你外表好看
里边穿什么就没有人管。"

杰克买了几条百元短裤，
可他的外衣就像是破布。
他说："别人怎么看我不管，
只要我知道我的内衣值钱。"

汤姆买了一支笛子、一盒蜡笔，
面包奶酪，还有一只金黄的大梨。
至于他的内衣外衣，
他从来就不怎么介意。

对蚌来说都无所谓

你可以把蚌留在海底，
对蚌来说都无所谓。
无论是十万年还是更长，
对蚌来说都无所谓。
你可以把它埋进烂泥，
或随身带着它，让它给你好运。
也可以把它当冰球打，
对蚌来说都无所谓。

不管你叫它"阿吉""阿福"还是"阿内"，
对蚌来说都无所谓。
拿它的壳儿当烟灰缸，
这对蚌来说都无所谓。
你可以把它带上火车，
也可以让它在雨中静坐。
你绝不会听到它在抱怨，
因为这对它来说都无所谓。

是的，无论地球转动与否，
对蚌来说都无所谓。
蓝天也许会下坠，
可这对蚌来说都无所谓。
人们总是不停地唱，
对与错，错与对。
蚌总是坐在那里——和往常一样，
这对蚌来说都无所谓。

呼啦鳗

拿条鳗鱼，
绕成个圆，
把它当个呼啦圈。
看它绕着你团团转，
从下巴颏儿到脚尖儿。
越来越紧，越来越紧，
难道鳗鱼宠物它不好玩儿？
嘿——我在和你说话，回答我——
别傻站在那儿脸色发蓝。

板？烦！

我买不起
滑雪板。
小船上装不起
甲板。
我买不起
冲浪板。
我买得起的
只有一块木板。

站着太傻

站着显得太傻，
爬着又会挨骂。
蹲着真像笨蛋，
走着还不是更差。
蹦着总觉不爽，
跳着也是没劲。
坐着不过是无聊，
靠着增添烦恼。
跑快了有点儿滑稽，
跑慢了又被人耻笑。
我还不如上楼去，
重新躺下睡大觉。

谁点的烤人头？

上菜啦，您慢用，
这是您点的，
奶油沙司烤人头，
菜码是碎土豆。
您说什么？原来您是要把我炸熟？

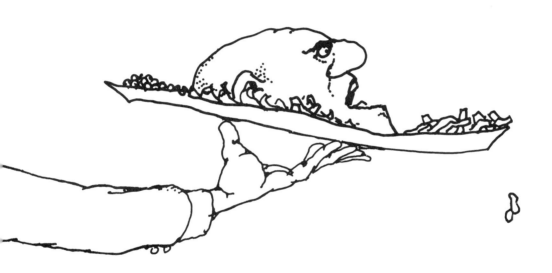

小铁桶假面人

他是小铁桶假面人，
他可以担当大任。
他会舞剑，会决斗，
会领兵打仗。
他会爬山，会作诗，
会赛跑摔跤。
他会向你展示勇气，
但无论你如何要求，
他的脸决不会让你看到。
他勇敢，他无畏，
他是小铁桶假面人，
决不轻易掉眼泪。

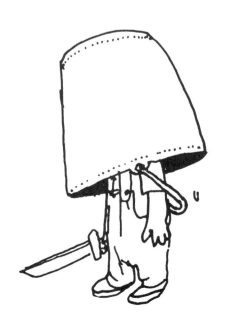

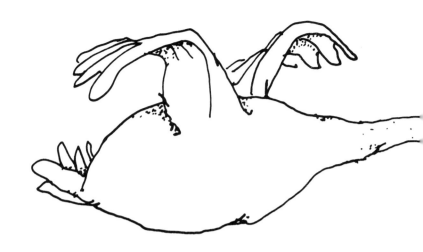

咕噜鸟

一只咕噜鸟，
竟然没长脚。
她不能走路
上街道，
她不能筑
鸟巢，
她不能着陆
睡个觉。
飞过雨雪交加的夜空，
听着雷鸣轰轰，
咕噜常常痛哭。
当她飞过城市上面，
咕噜生下自己的蛋。
她默默为他们祈祷，
祝他们着陆平安。

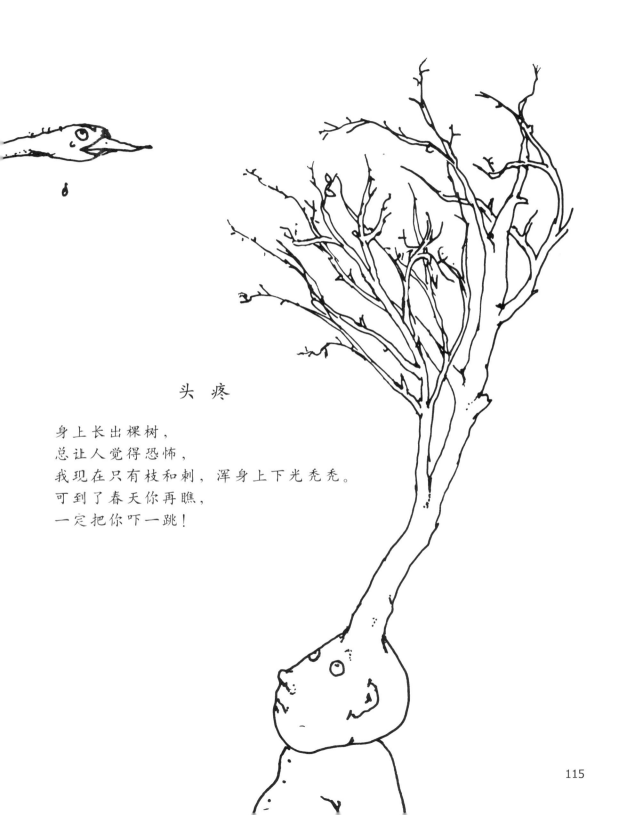

头 疼

身上长出棵树，
总让人觉得恐怖，
我现在只有枝和刺，浑身上下光秃秃。
可到了春天你再瞧，
一定把你吓一跳！

快速旅行

吞我们的怪物消化得太快。

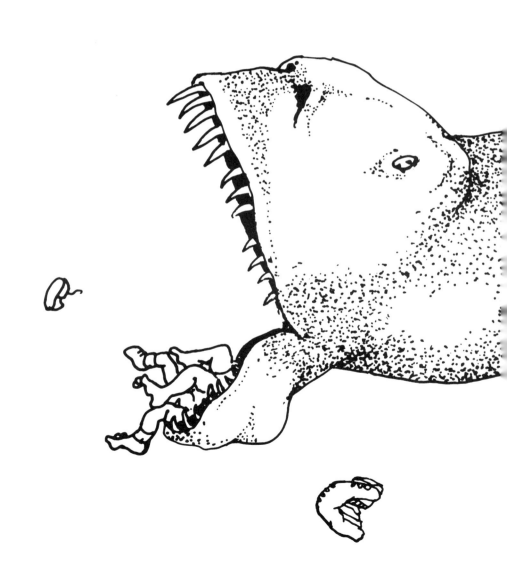

现在我们把它的獠牙躲开……

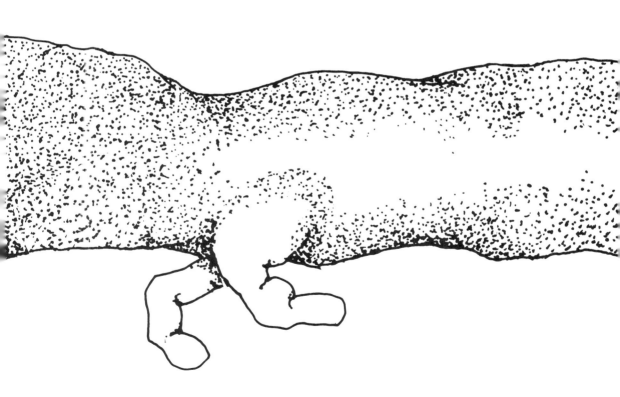

现在我们在它肠子里歇脚。

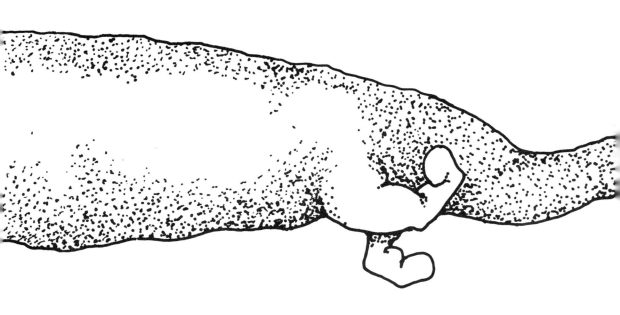

现在我们又回到大街上来。

小阿贝盖尔和漂亮的小马

有个叫阿贝盖尔的小姑娘，
和爸爸妈妈开着车
穿过乡下的村庄。
在那里她看见一匹
灰白相间的小马，
它美丽的眼神是那么哀伤。
便宜卖啦——
有块牌子立在一旁。
　"哦，"阿贝盖尔问道，
"那匹小马，
我能不能把它买下？"
"不能。"她的爸妈回答。
阿贝盖尔说：
"可我**一定**要那匹小马。"
她爸妈说：
"你不能要那匹小马，
但你可以吃美味的
奶油核桃冰激凌，
等我们一会儿回到家。"

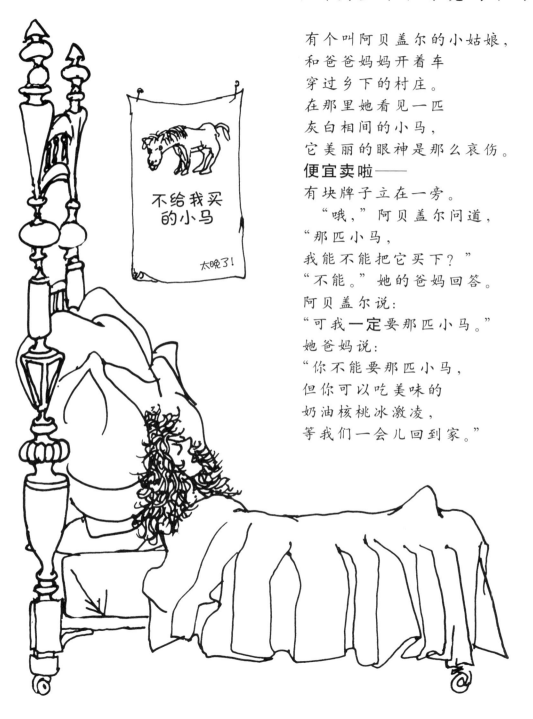

不给我买
的小马

太晚了！

阿贝盖尔说：
"我不要奶油核桃冰激凌，
**我想要那匹小马——
我一定要那匹小马。**"
她爸妈说：
"安静点儿，不要再说话。
你得不到那匹小马。"
阿贝盖尔哭着说：
"我会死掉，如果我没有那匹小马。"
可爸妈说："你不会的，
从来没有孩子的死
是因为一匹小马。"
阿贝盖尔感觉很差，
一回家她就在床上倒下，
她不能吃饭，
也不能睡觉，
她的心碎了，
她**真的**死去了——
这一切都因为她父母
没有买下那匹小马。

（如果爸妈不给你
买想要的东西，
就给他们讲这个故事吧！）

天呀！只要她活着，就算是要一百匹，我都会买给她！

哦，我们是多么愚蠢！

治打嗝儿

嗝儿……
嗝儿……
嗝儿……
嗝儿……
想快点把你的打嗝儿止住？
把舌头伸出，把嘴唇咬住。
屏住呼吸，扭扭屁股。
左脚放后，再向前踢出。
现在，你看，你的打嗝儿就此止住。
没什么难的——你是不是觉得很舒服？
嗝儿……
哦，唔……

画　家

斑马身上的条纹是我画，
还有癞蛤蟆身上的疙瘩。
只要有一个喷壶和一支笔刷，
我给豹子加上可爱的斑点，
花栗鼠的大衣也变得更加鲜艳。

我为红胸知更鸟喷上火焰，
在海边为太阳鱼抹上天蓝。
当萤火虫的光泽变暗，
我把白银往它身上渲染，
它的光芒比以前更加灿烂。

杰克·弗罗斯特？他不过是个业余画匠，
只能做些添枝加叶的工作。
他虽然比我出名，
但我比他更加快乐，
因为我画的东西会跑，会飞，还会唱歌！

没 人

没人爱我，
没人疼我，
没人给我摘梨摘桃，
听了我的笑话没人会笑。
我打架时没人帮我，
夜深了没人替我做功课。
没人给我亲吻，
没人为我流泪，
没人觉得我是个好宝贝。
如果你上课提问，谁是我最好的朋友，
我会站起来回答，没人就是我的至交。
但是就在昨晚，我吓得浑身打战，
我醒来发现没人不在身边。
我大声叫喊着去拉没人的手，
没人通常就站在黑暗中间。
我在屋子的每个角落搜索，
所有找过的地方却都是"有人"！
我找得累了，而天已是清晨，
毫无疑问，他已走了，
我的没人！

斑马的问题

我问斑马，
你是有白条纹的黑马，
还是有黑条纹的白马？
斑马反过来问我，
你是个有坏习惯的好孩子，
还是个有好习惯的坏孩子？
你是安静时多吵闹时少，
还是吵闹时多安静时少？
你是高兴时多难过时少，
还是难过时多高兴时少？
你是个有时邋遢的干净孩子，
还是个有时干净的邋遢孩子？
它就这样不停
不停不停地问，
而从此我再没
向斑马
问过
它的条纹。

吞剑侠

伟大的吞剑侠索罗麦，
不穿衬衫也不打领带。
他大嘴一张向后一歪，
"嗷呜"一口吞剑入怀。

我猜他觉得这样很有趣，
铁剑也能吞下肚子去。
他有本事，我可不在行。
我只想吃面包夹果酱。

射 箭

我把箭向蓝天射，
正中飘过的白云朵。
白云落下死在海岸边，
我从此再不想把箭射。

癞蛤蟆和袋鼠

癞蛤蟆对袋鼠说：
"你跳得远我跳得高，
我们俩结婚恰恰好。
我们会有个小宝宝，
她一跳跳过一座山，一跃跃出一里远。
我们就叫她癞袋鼠。"
癞蛤蟆殷切地告诉袋鼠。

袋鼠说："亲爱的，
你的主意太妙了。
我非常愿意嫁给你。
可是关于那只癞袋鼠，
我们最好还是叫她袋蛤蟆。"
袋鼠说给皱着眉的癞蛤蟆。

于是他们就吵起来，
为了"癞鼠袋"还是"袋鼠癞"。
终于蛤蟆愤怒了：
"我才不管鼠袋癞还是鼠癞袋，
反正我不想再娶你。"。
袋鼠答："我也不再把你爱。"

癞蛤蟆不再说话，
袋鼠也慢慢跳开。
他们没有结成婚，也没有哪个小宝宝
能一跳跳过一座山，一跃跃出一里远。
多可惜啊多遗憾——
只是因为他们没在名字上统一意见。

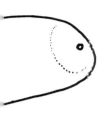

打棒球

好，现在开始比赛，
我们所有的人都已到来。
我是身强体壮的投手，
能掷出速度奇高的球。
皮特负责接球，
他捶打着手套里的拳头。
迈克这个"本垒之王"，
咆哮着等待发出致命的一击。
他的球打得又高又远，
呼啸着飞出围墙外边。
我们现在开始——什么？还有你？
哦，那好吧，
你就来当那个球！

友 谊

我找到一条妙计，它能保持我们的友谊——
尽管它本身并不稀奇。
我只管发号施令，
干活儿受累的都是你！

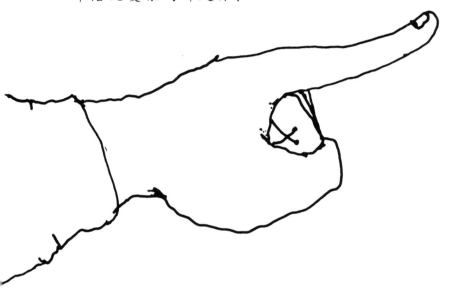

体 检

我到医生那里体检，
他把手伸进我的嗓子眼儿，
搜出来一只鞋子
和一只小玩具船，
揪出一把冰刀，
外加一个车坐垫。
他说："你吃饭的时候
一定要小心一点儿。"

诗 车

如果你给老爸安个轮子，
他会不会变成老爸车？
墩布会不会变成墩布车？
警察会不会变成警察车？
斧子会不会变成斧子车？
水滴会不会变成水滴车？
蛇麻草会不会变成蛇麻草车？
我想现在到时间停车了，
还是时间车该停车？
嗨车，我不能停车。
哦车，天哪车，
我车会车不车会车像车这车样车说车
个车不车停车？
嗯车？

感 官

嘴在对鼻子和眼睛说话，
被过路的耳朵听到。
"对不起，你的嗓门太大，
我不小心听到了，没有办法。"
于是嘴不再讲话，鼻子也不再向下，
眼睛眨了眨。
耳朵再也听不到什么，
只好伤心地走开啦。

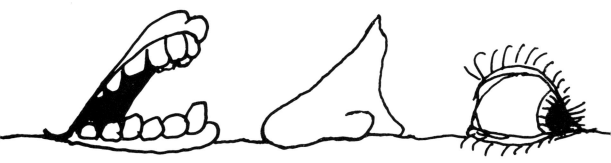

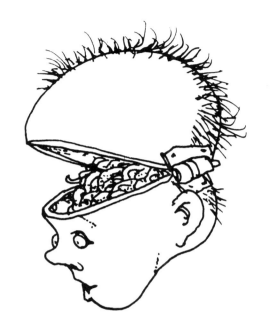

开 关

如果我们脑袋上有开关，
那么世界上就不会有罪犯。
因为我们可以把坏东西拿出来，
把好的留在里面。

害　怕

布朗·巴那巴斯，
总是害怕被水淹死。
所以他从不游泳，
也不乘坐小舟。
他甚至从不洗澡，
更别说跨过壕沟。
他一天到晚坐在家里。
他的房门紧锁，
窗子也被钉牢。
他吓得浑身颤抖，
生怕大水把他冲走。
他泪水流成了河，
充满了整个屋子，
最终，
他淹死了。

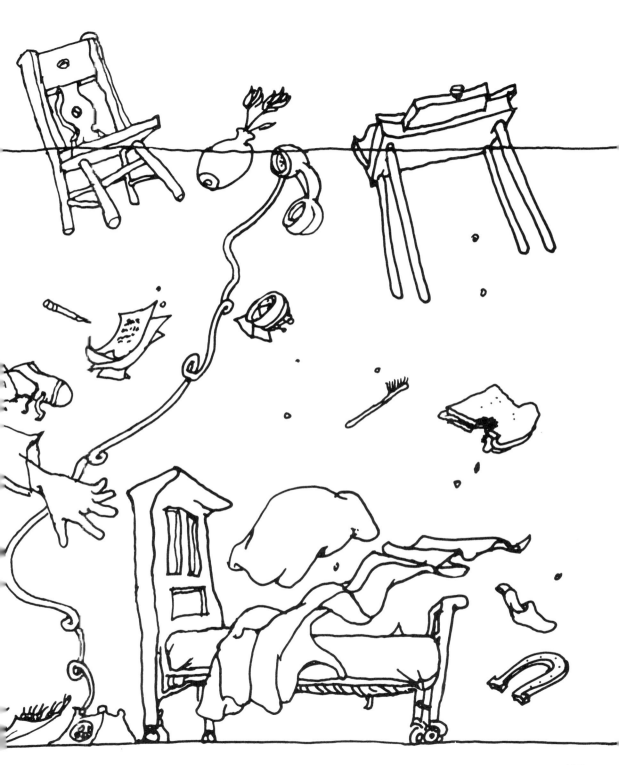

能扭能转的人

他这个人能扭能转能挤
能拉能抻能折。
他能钻进你的口袋，
能塞进你项链下挂着的小盒。
能抻得比尖塔还高，
能挤得比顶针还小。
他能，他当然能，
他是能扭能转能挤
能拉能抻能缩的人。
和他能挤能爱能吻
能搂能拉能扯的妻子在一起，
他的小日子还过得去。
他们有两个能扭的孩子，
弯腰、拉伸、转体
都是随心所欲。
这就是那个
能弯能折
让干什么就干什么
能雕能塑
让买什么就买什么
能洗能修
那么可靠
能买能卖
长期有货
能弹能摇
几乎不会碎掉的
能扭能转人！

蝙蝠宝宝

一只蝙蝠宝宝
吓得大喊大叫：
"请你打开黑暗，
我害怕这里的光线。"

141

打

打大猪要用大树，
打小猪要用小树。
打蛇要用木耙。
用苍蝇拍把水獭来打。
打蜜蜂要用滑雪橇。
可你如果打我——要用羽毛！

感　冒

我真想得一次感冒，
但它从我身边跑掉
在一个寒冷潮湿的
秋天午后。
我真想得一次感冒，
但却没有抓到，
它蹦蹦跳跳从我身边溜号。
但我真高兴，听说是你把它抓到。

聋子唐

聋子唐遇到了多嘴苏，

但   是他唯一的动作。

苏说："唐，真心喜欢你的人是我。"

但 是他唯一的动作。

苏问唐："你是否也喜欢我？"

但 是他唯一的动作。

"那好吧，唐，我将离你而去。"

但 是他唯一的动作。

于是她终于离他而去，永远不可能知悉

唐 的意思是：我爱你。

好好玩！

在佩罗斯公园游泳
绝对没有危险。
我保证水中
不会有鲨鱼出现。

狗的生日

他们本该给我唱首歌，
算是一种庆祝。
要不就在草坪上放个礼物——
一块牛排或是一根棒骨，
而不是盆中狗食上
插的这根蜡烛。
说这是生日蛋糕有点勉强，
从来没人把狗的生日放在心上。

偷 皮

今晚我脱下我的皮，
小心地摘下我的脑袋，
就像往常一样
准备上床睡个痛快。
当我正在熟睡，
一只鸽子光着身子进来，
偷走了我的皮，
戴上了我的脑袋。
它穿走了我的双脚，
那么不顾羞耻地
来到街上奔跑。
它说过的话和做过的事，
绝对和我无关：
把小孩逗，
把大人踢，
还跳着舞拐走美女。
如果它让你明亮的眼睛哭泣，
如果它让你可怜的脑袋发晕，
你所看见的那浑蛋，
绝对和我无关！
它只不过是那只鸽子
穿上了我的皮。

女士优先

帕梅婆大叫大喊："女士优先！"
冲到买冰激凌队伍的最前面。
帕梅婆大叫大喊："女士优先！"
把餐桌上的番茄酱抢到自己跟前。
在早班公共汽车上
她会把我们都挤到一边。
只要帕梅婆大叫大喊："女士优先！"
那个地方就一定会闹翻天。
帕梅婆大叫大喊："女士优先！"
当我们准备去丛林中游玩。
帕梅婆说她最口渴，
我们所有的水都被她喝干。
我们被野人部落抓去，
五花大绑，
在头人的阶下排成一行。
那头人名叫"炸着吃·旦"，
坐在宝座上把酒猛灌，
手中拿着叉子还把嘴舔。
正在考虑先把哪个猎物装盘。
队伍的后面
传来帕梅婆的惊人叫喊："女士优先！"

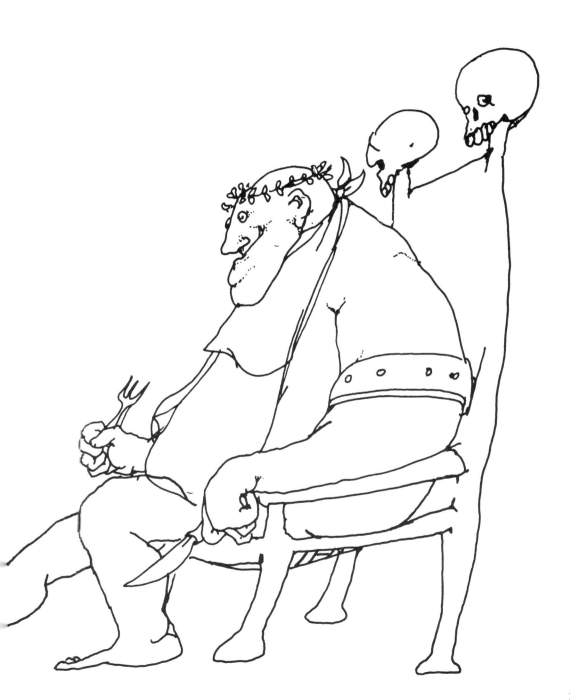

冰冻的梦

我要把昨天我做的梦，
拿到冰箱里冷冻。
到遥远的一天，
我变成了白发苍苍的老翁，
我就把这个可爱的美梦
拿出来解冻，
然后把它煮沸，坐下来，
浸暖我冰冷的双足。

丢掉的猫

我们找不到那只猫，
它在哪里我们不知道，
天哪，她会往哪里跑？
你们有谁知道？
我们还是来问问这顶过路的小帽。

上帝之轮

上帝冲我笑笑：
"你想不想当一会儿上帝，
来把世界领导？"
"好，"我说，"我会试着瞧瞧。
我会在哪里上班？
拿多少钱？
每天几点吃饭？
什么时候可以洗手不干？"
"把轮子还给我，"上帝说，
"我觉得你作的准备还不够。"

和影子赛跑

每次我和我的影子赛跑，
如果太阳在我的背后，
影子总会跑在我的前头，
和我比
他总是占优。
但每次我和我的影子赛跑，
如果太阳在我前面，
我一定稳操胜券。

克拉伦

克拉伦·李住在田纳西，
他对电视广告着了迷。
他睁大眼睛看，心里深信不疑，
还买了广告上的每一件东西。
擦脸油让他皮肤细腻，
摩丝让他头发湿润，
漂白粉让白的更白，
新潮牛仔裤更加紧身。
牙膏治好了他的龋齿，
还有药粉对付狗身上的跳蚤。
紫漱口水让他口气清新，
除臭剂让他不再汗流满身。
他买了他们推荐的各种麦片，
还买了他们发明的各种玩具。
有一天他在电视上看到：
"新款老妈，更好的老爸！
各方面性能更加优秀，
今天就赶紧来订购！"
毫无疑问，小克拉伦立刻跑去
买了一对全新的父母。
新品第二天早晨由邮差送到，
旧的在车库摆摊卖掉。
现在所有人情况都很好：
新父母对他照顾周到，
旧父母则在挖老煤窑。

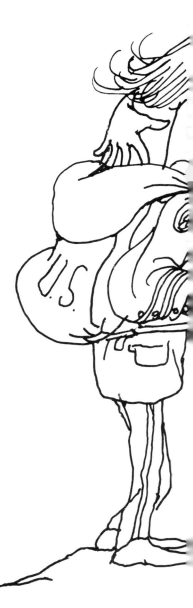

如果你父母很抠，
每天只给你吃青豆，
让你洗衣，让你空等，
还不让你玩耍通宵。
如果他们对你又叫又骂，
还成天板着脸唠唠叨叨，
这些只能说明，他们快要坏掉。
赶紧去买一对崭新的父母，
你就会像小克拉伦一样充满欢笑。

155

犀牛笔

那么请你告诉我
你所见过的事情里
有什么能比这
更荒唐？——
忘了带笔，
用
一只
耐心的
犀牛
的角
来
写作文？

假 如

假如我长了轮子没长腿，
假如我没长眼睛长了玫瑰，
我会开着自己去花展，
也许会捧回一个大奖杯。

按按钮

我按下台灯的按钮——咔哒——灯亮了。
我按下割草机的按钮——轰隆——它开始割草了。
我按下扎啤机的按钮——哗啦——我的杯子满了。
我按下手提箱的按钮——咔嚓——箱子开了。
我按下电视的按钮——哧啦——沃特普出现在画面上了。
我按下我肚子上的按钮——
嗝儿！

被绑票

今天早上
我被三个蒙面大汉绑票——
他们在路边拦住我，
骗我说会给我吃糖果。
我连连说"不要不要"，
他们却把我的衣领抓牢，
扭着胳膊别到了后背，
拼命把我往车后座推，
那辆轿车豪华得很，
可我一点都不兴奋，
因为手被烂铁丝紧紧捆。
然后他们给我蒙上眼罩，
于是我什么都看不到。
他们把棉花塞进我耳朵眼儿，
于是我什么都听不见。
他们的车开出二十英里，
不，至少开了二十分钟。
他们拖我下了车，
进了阴冷的地下室。
他们把我扔到墙角，
两个人出去准备把钱要，
一个留下把我看好，
黑洞洞的枪口指着我。
我被牢牢绑在凳子上……
这就是为什么我会上学迟到。

159

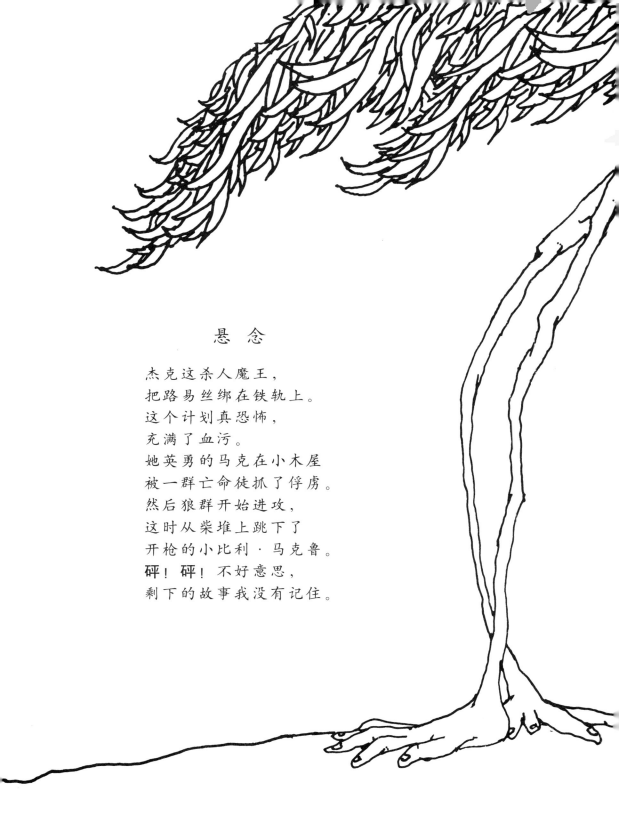

悬 念

杰克这杀人魔王，
把路易丝绑在铁轨上。
这个计划真恐怖，
充满了血污。
她英勇的马克在小木屋
被一群亡命徒抓了俘虏。
然后狼群开始进攻，
这时从柴堆上跳下了
开枪的小比利·马克鲁。
砰！砰！不好意思，
剩下的故事我没有记住。

晚饭的客人

斯莱恩长着剃刀一样的牙，
如果他吃饭时来到我家，
我可能在法国、底特律或是喀土穆，
也许是在贝鲁特会见我的艾德叔叔。
你也许能在费城、拉辛或拉巴特找到我，
我也许会躲在马尔默。
你可能会在高尔与我碰面，
但不大可能在商店碰上我。
你可能见我在汉堡，
也许是在圣保罗，
或者是在京都、在基诺沙、在诺姆。
但有一点可以肯定，
你**绝不会**在家里找到我。

寻找灰姑娘

从傍晚到早上，
从城里到镇上，
没有任何线索，
我却在苦苦寻找，
能穿进这水晶鞋的小脚。
从早晨到傍晚，
我把它
给我遇见的每个女孩试穿，
对她，我仍然喜欢，
但对那些脚，
我已经开始厌烦。

近乎完美

"近乎完美……就差一点儿。"
这是小姑娘玛丽胡的口头禅。
在她七岁的生日会上，
她环顾飘着彩带的房间。
"这桌布是粉红而不是雪白——
近乎完美……就差一点儿。"

"近乎完美……就差一点儿。"
这是长大的玛丽胡的口头禅。
谈到追求她的英俊少年，
她不会嫁给他如他所愿。
"抱我抱得有点儿太紧，
近乎完美……就差一点儿。"

"近乎完美……就差一点儿。"
这是老太太玛丽胡的口头禅。
她教七年级的功课，
在昏暗的屋子里批改试卷，
一熬就是整整一晚。
"他们的 t 总是写不好，
近乎完美……就差一点儿。"

九十八岁她死的那一年，
还在抱怨一尘不染的地板。
人们摇着头叹着气说：
"到了天堂她也许会更喜欢。"
羽翼带着她的灵魂飞走，
飞出大门，再也看不见。
天堂中传来一个声音——
"近乎完美……就差一点儿。"

馅饼的问题

如果我再吃一块馅饼，我会死掉！
如果我不再吃一块馅饼，我会死掉！
既然我的死已成定局，
我还不如再吃一块馅饼。
嗯——哦——天哪！
嚼——咽——再见！

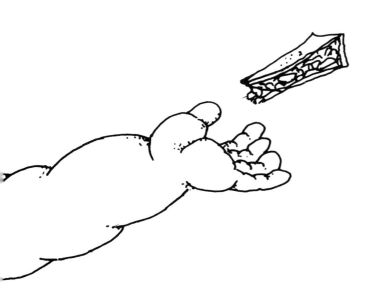

橡树和玫瑰

橡树和玫瑰一起长大，
那么嫩绿，那么年轻漂亮。
它们的话题离不开成长——
风儿、雨儿和阳光。
当玫瑰的花儿灿烂开放，
橡树却长得高入云端。
现在它们有了新的话题——
雄鹰、山顶和蓝天。
"我想你一定觉得自己很伟大。"
人们听到玫瑰的哭声，
它用尽全力大声叫喊，
好让云端的树梢听见。
"你现在长得那么高，
没有时间和我交谈。"
"我并没有长得那么高，"橡树说，
"只是因为你还是那么小。"

他们给骆驼戴上胸罩

他们给骆驼戴上胸罩，
它穿得不太合适，你也知道。
他们给骆驼戴上胸罩，
这样它的驼峰就不会被看到。
他们正在考虑别的计划，
甚至坚持肥猪们也要穿上裤衩。
如果有机会的话，他们还要给鸭子穿上衣裳，
自从他们把胸罩给骆驼戴上。

他们把胸罩给骆驼戴上，
他们说这样它更加端庄。
他们把胸罩给骆驼戴上，
骆驼也没法和他们商量。
我绝不会知道，他们怎么给骆驼戴上胸罩，
但他们说这样骆驼会有得体的外表。
他们想给奶牛穿些什么，天知道，
自从他们给骆驼戴上胸罩。

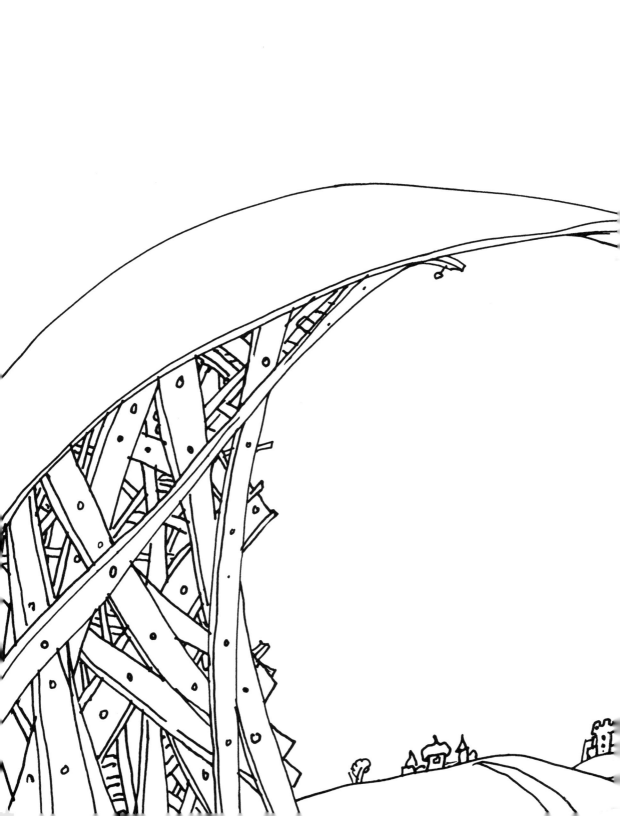

桥

这座桥只能把你带到半路，
如果你想去那片渴望的神秘土地。
你要穿过吉普赛人的营地和喧闹的阿拉伯市集，
月光下的树林里，独角兽自由地奔走嬉戏。
何不与我同行，
一起分享那弯曲的小径，
我会给你讲述我所知道的神秘世界。
但这座桥只能把你带到半路——
你必须自己走完剩下的几步。

索 引

非常感谢夏洛特·佐罗托、简·罗宾斯、罗伯特·沃伦、吉姆·斯考菲尔德、格兰尼斯·布彻斯、约翰·维特尔在这本书的准备过程中给予我的帮助。向厄休拉·诺斯多姆致以永久的谢意……

Shel Silverstein

图书在版编目（CIP）数据

阁楼上的光 ／（美）谢尔·希尔弗斯坦文图；叶硕
译 . —— 北京：北京联合出版公司，2018.10（2025.4 重印）
ISBN 978-7-5596-2438-3

Ⅰ．①阁… Ⅱ．①谢… ②叶… Ⅲ．①儿童故事－图
画故事－美国－现代 Ⅳ．① I712.85

中国版本图书馆 CIP 数据核字（2018）第 176698 号

著作权合同登记 图字：01-2018-2442号
A LIGHT IN THE ATTIC by Shel Silverstein
© 1981 by Evil Eye Music, Inc.
Published by arrangement with Evil Eye Music, Inc.
through Edite Kroll Literary Agency Inc.
Simplified Chinese translation copyright © 2018
by ThinKingdom Media Group Ltd.
ALL RIGHTS RESERVED

阁楼上的光
作　　者：[美] 谢尔·希尔弗斯坦 文·图
　　　　　叶硕 译
责任编辑：徐　鹏
特邀编辑：白佳丽　熊　英
封面设计：徐　蕊
版式设计：王春雪

- -

北京联合出版公司出版
（北京市西城区德外大街83号楼9层　100088）
新经典发行有限公司发行
电话（010)68423599　邮箱 editor@readinglife.com
北京中科印刷有限公司印刷　新华书店经销
字数60千字　720毫米×930毫米　1/16　11.5印张
2018年10月第1版　2025年4月第26次印刷
ISBN978-7-5596-2438-3
定价：49.50元

- -